PUZZLEBUZZ FOOD

똑똑해지는 퍼즐

1. 음식

Aramy

어떤 길을 따라갈까요?

네 명의 펭귄 웨이터가 각각 어느 손님에게 음식을 갖다 줘야 할까요?

Four waiters have meals to serve. Who will get each one?

ILLUSTRATION BY DAVID COULSON

정답 36쪽

Hidden Pictures™

레스토랑 부엌 안에 있는 숨은 그림 12개를 찾아보세요.
Can you find these 12 items hidden in this restaurant kitchen?

ILLUSTRATION BY DAVE KLUG

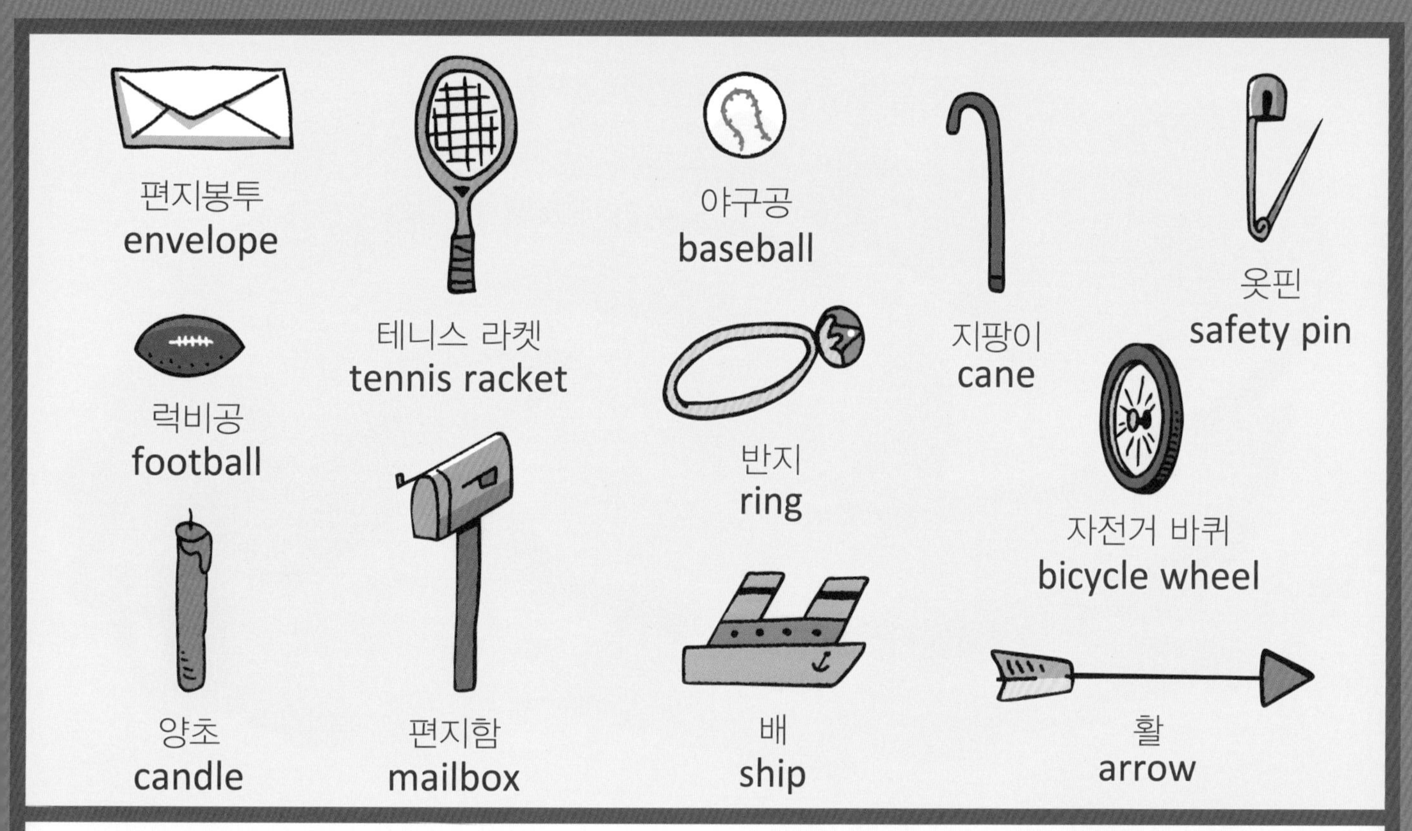

1번부터 24번까지 연결하여
그림을 완성해 보세요.

정답 36쪽

무슨 그림인지 알아맞혀 보세요.

PHOTO © GEORGY MARKOV/SHUTTERSTOCK

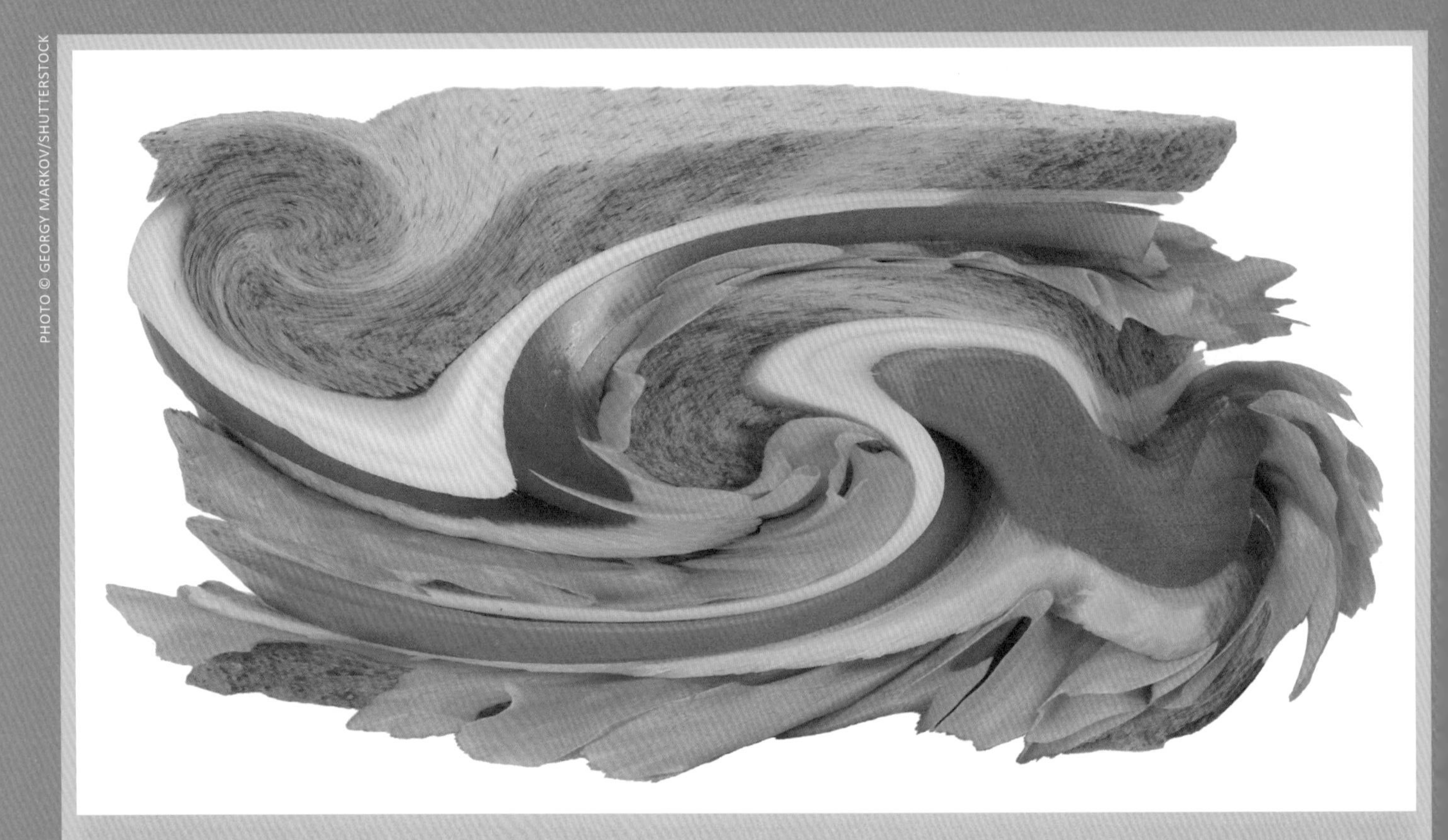

PHOTO © ABLESTOCK

피크닉에서 볼 수 있는 것들이에요. 회오리처럼 돌려진 그림들이 무엇인지 알아맞혀 보세요.

These things you see at a picnic have been twisted and turned.
Can you figure out what each one is?

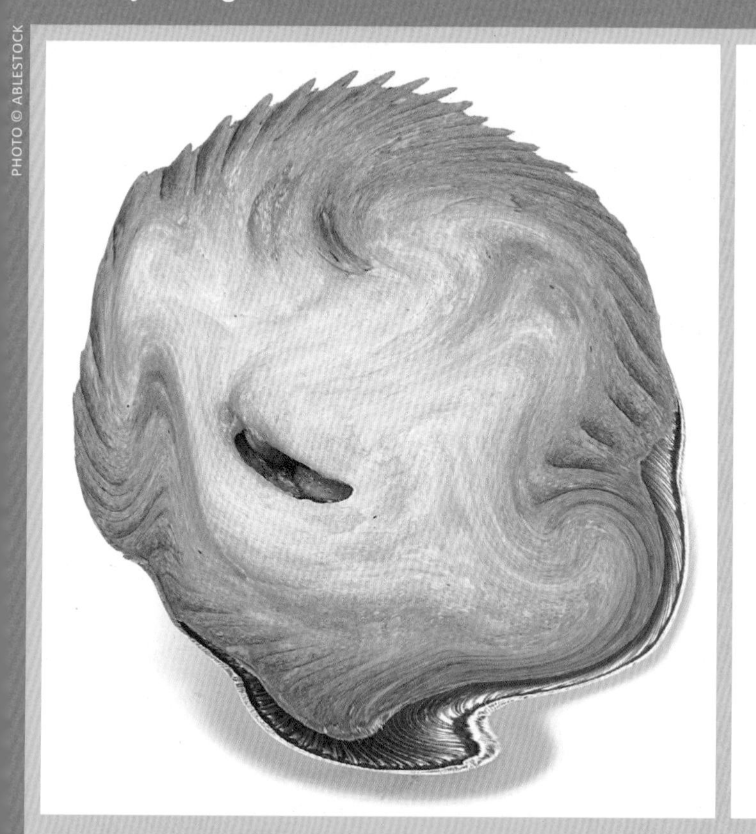

정답 36쪽

똑같은 그림으로 만들어 보세요.

두 개의 그림이 조금 다르죠? 다른 부분에 스티커를 붙여 똑같이 만들어 보세요.

These two pictures are a bit different. Add your stickers to this page to make them match.

ILLUSTRATION BY MIKE DAMMER

정답 36쪽

간식 알파벳이에요. 암호 풀이를 해 보세요.

각 음식에 해당되는 알파벳을 이용해 문장을 완성해 보세요.
Use the food code to fill in the letters and finish the jokes.

머스타드가 달리면서 무슨 말을 했을까요?

"

___ ___ ___   ___ ___

      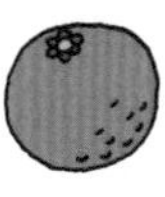

"

___ ___ ___ ___ ___ ___ ___.

    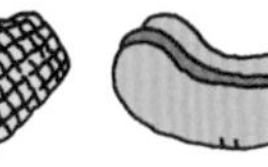  

쿠키는 왜 의사 선생님을 찾아갔을까요?

___ ___   ___ ___ ___ ___

___ ___ ___ ___ ___ - ___.

조각 난 피자를 어떻게 붙일까요?

___ ___ ___ ___   ___ ___ ___ ___ ___ ___

   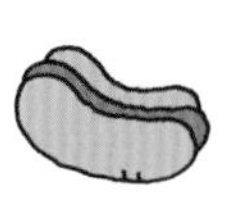    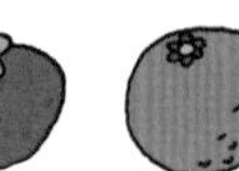    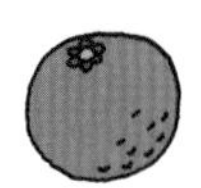

___ ___ ___ ___ ___.

    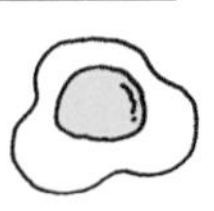

정답 37쪽

농장에서 미로를 찾아가요.

미로를 지나면서 허수아비가 들고 있는 글자를 네모 칸에 쓰세요. '옥수수'라는 뜻이에요.

As you pass the scarecrows, write their letters in the boxes to spell a word that means "corn."

정답 37쪽

같은 시리얼 그림을 찾아봐요.

비슷하지만 자세히 보면 달라요. 똑같은 시리얼 10쌍을 찾아요.

Every bowl of cereal in the picture has one that looks just like it. Find all 10 matching pairs.

정답 37쪽

스티커를 붙이고, 이상한 장면을 찾아봐요.

스티커로 그림을 완성하고 나서 식당에 어울리지 않는 이상한 장면 15곳을 찾아보세요.
Use your stickers to finish the picture. Then see if you can find at least 15 silly things.

ILLUSTRATION BY DAVID COULSON

정답 37쪽

그림 속에 있는 피자를 찾아요.

식당에서 가장 맛있는 피자를 만들었어요. 21조각의 피자를 찾아보세요.
Sal's Restaurant makes the best pizza in town! Can you find all 21 slices?

정답 37쪽

구불구불 길을 따라가며 바나나를 주워요.

원숭이 친구들이 각각 길을 따라가요. 누가 바나나를 가장 많이 주울까요?

Find the path that each monkey will take to reach the playground.
Who will pick up the most bananas?

정답 38쪽

알파벳 판에서 채소 이름을 찾아봐요.

알파벳 판에 숨어 있는 18가지 채소 이름이에요. 어떤 단어는 가로로, 어떤 단어는 세로로 놓여 있어요.

The names of 18 vegetables are hidden in the letters. Some words are across. Others are up and down.

단어

BEANS 콩
BEET 비트
CABBAGE 양배추
CARROT 당근
CELERY 셀러리
CORN 옥수수
CUCUMBER 오이
EGGPLANT 가지
KALE 케일
~~LETTUCE~~ 상추
MUSHROOM 버섯
ONION 양파
PEAS 완두콩
PEPPER 고추
POTATO 감자
RADISH 무
SPINACH 시금치
SQUASH 호박

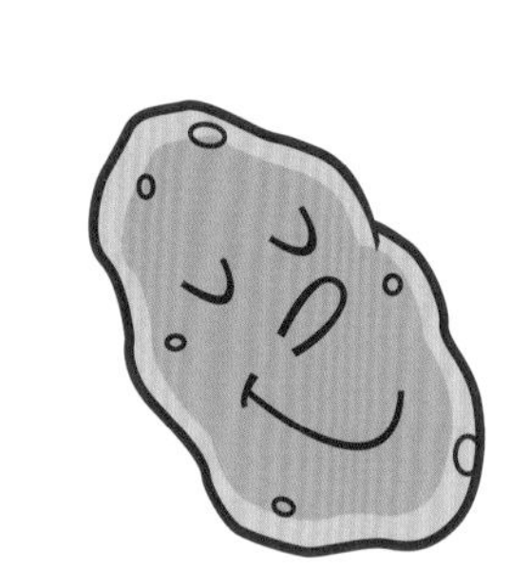

C A B B A G E Z W B
E G G P L A N T C E
L V P O T A T O U A
E K O N I O N B C N
R A D I S H F E U S
Y L E T T U C E M Q
P E P P E R C T B U
M U S H R O O M E A
C A R R O T R X R S
P E A S P I N A C H

티니는 채소를 좋아해요. 티니를 위해 맛있는 채소를 그려 주세요.

Tiny loves veggies! Draw some for him.

정답 38쪽

과수원에서 숨은 그림을 찾아요.

과수원에서 숨은 그림을 찾은 뒤 스티커를 붙이고 예쁘게 색칠도 해요.

Find all the hidden objects. Place a sticker on each one.

정답 38쪽

같은 모양의 샌드위치를 찾아요.

여러 가지 모양의 샌드위치가 다 모였어요. 같은 모양의 샌드위치 9쌍을 찾아봐요.

Every sandwich in the picture has one that looks just like it. Find all 9 matching pairs.

ILLUSTRATION BY DAVE JOLY

정답 38쪽

Hidden Pictures™

캠핑장에서 가족 야유회가 열렸어요. 그림에서 숨은 그림 12개를 찾아보세요.

Can you find these 12 items hidden at this family reunion?

ILLUSTRATION BY DAVE KLUG

1번부터 26번까지 연결하여 그림을 완성해 보세요.

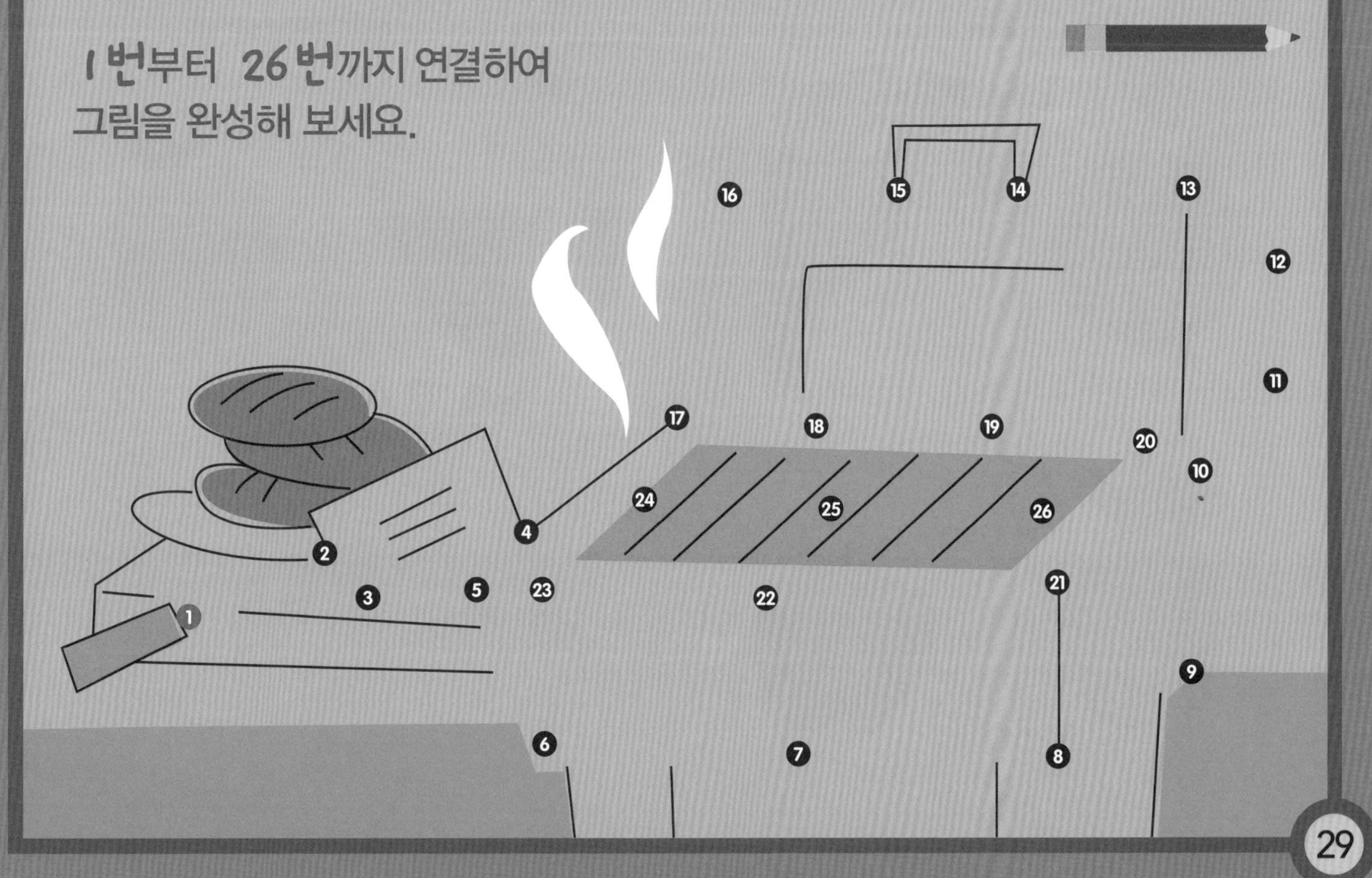

정답 39쪽

과일 알파벳이에요. 암호 풀이를 해 보세요.

각 과일에 해당되는 알파벳을 이용해 문장을 완성해 보세요.
Use the fruit code to fill in the letters and finish the jokes.

ILLUSTRATION BY MIKE MORAN

트럼펫을 불고 있는 과일은 누구인가요?

____ ____ ____ ____ ____

 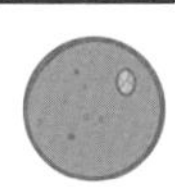 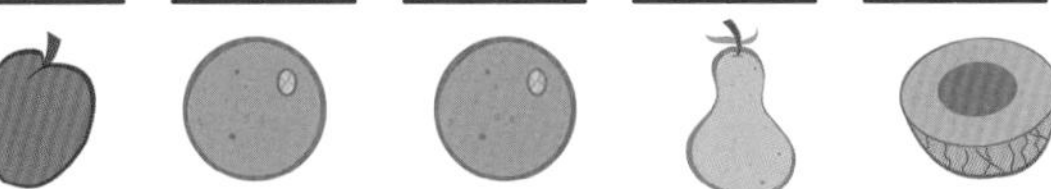  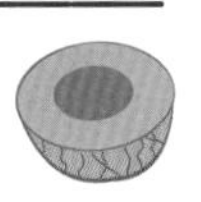

작은북을 치는 과일은 누구인가요?

____ ____ ____ ____ ____ ____

    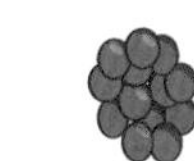 

레몬은 무슨 맛일까요?

____ ____ ____ ____ ____ ____ ____ ____

     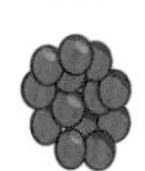 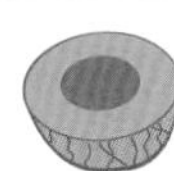 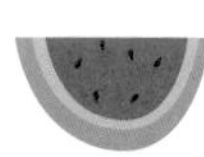 

바닥에 두 개의 바나나 껍질처럼 있는 것은 무엇일까요?

____ ____ ____ ____ ____ ____ ____ ____ ____

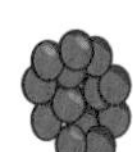 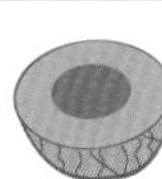        

____ ____ ____ ____ ____ ____ ____ ____

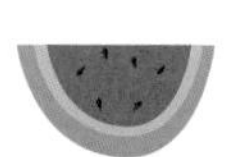   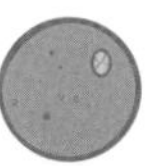 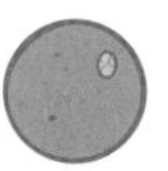   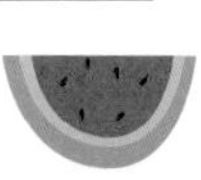

정답 39쪽

학교 식당에서 주스 14개를 찾아요.

식당 안에 사과 주스, 오렌지 주스, 포도 주스가 있어요. 총 14개의 주스를 찾아보세요.

There is apple, orange, and grape juice in the lunchroom. Can you find all 14 juice boxes?

정답 39쪽

알파벳 판에서 음식 이름을 찾아봐요.

알파벳 판에 숨어 있는 17가지 점심 메뉴 이름이에요.
어떤 단어는 가로로, 어떤 단어는 세로로 놓여 있어요.
The names of 17 lunch-box favorites are hidden in the letters.
Some words are across. Others are up and down.

단어

APPLE 사과
BANANA 바나나
BREAD 식빵
CELERY 셀러리
CHEESE 치즈
COOKIE 쿠키
CRACKERS 크래커
GRAPES 포도
JUICE 주스
MILK 우유
PEACH 복숭아
RAISINS 건포도
SOUP 수프
TACO CHIPS 타코칩
TUNA FISH 참치
TURKEY 칠면조
~~YOGURT~~ 요거트

C	T	A	C	O	C	H	I	P	S
R	V	W	E	T	U	R	K	E	Y
A	P	P	L	E	J	U	I	C	E
C	B	R	E	A	D	M	I	L	K
K	A	G	R	A	P	E	S	W	P
E	N	X	Y	O	G	U	R	T	E
R	A	I	S	I	N	S	Z	V	A
S	N	C	O	O	K	I	E	E	C
W	A	T	U	N	A	F	I	S	H
S	O	U	P	C	H	E	E	S	E

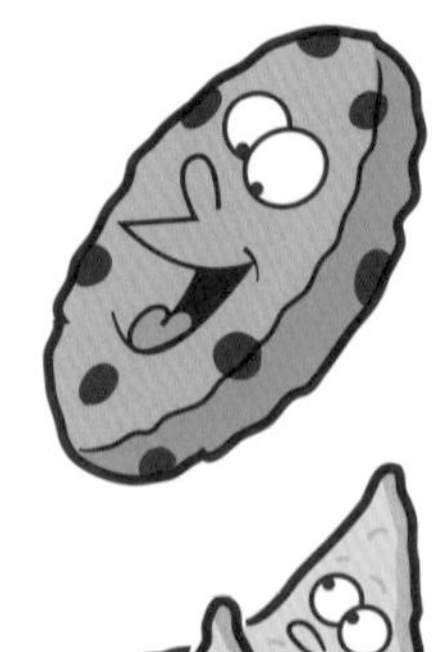

점심시간에 먹고 싶은 음식을 그려 보세요.
Draw your favorite lunch here.

정답 39쪽

정 답

2쪽

4쪽

5쪽

6쪽

8쪽

10쪽

Q. 머스타드가 달리면서 무슨 말을 했을까요?
A. "TRY TO KETCHUP."
("케첩을 이기자.")

Q. 쿠키는 왜 의사 선생님을 찾아갔을까요?
A. IT FELT CRUMB-Y.
(부스러져서.)

Q. 조각 난 피자를 어떻게 붙일까요?
A. WITH TOMATO PASTE.
(토마토 소스로.)

12쪽

14쪽

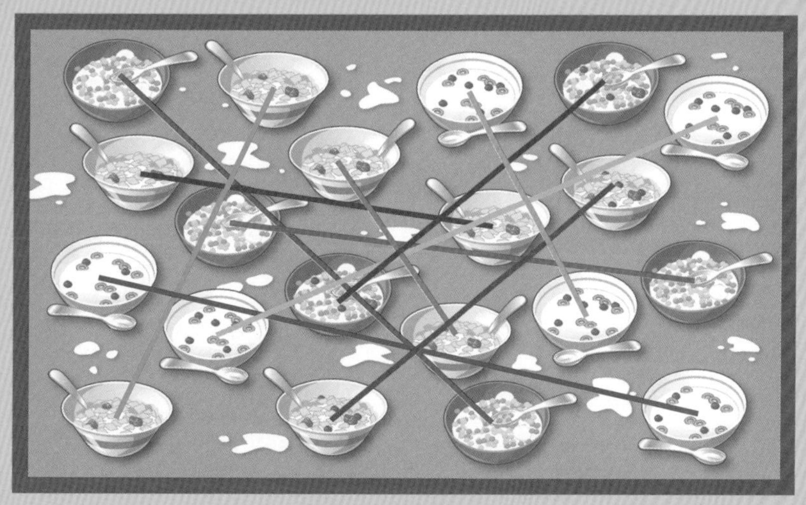

16쪽

다른 이상한 부분을 찾아도 돼요.

정 답

18쪽

20쪽

조가 바나나를 가장 많이 주웠어요.

22쪽

C	A	B	B	A	G	E	Z	W	B
E	G	G	P	L	A	N	T	C	E
L	V	P	O	T	A	T	O	U	A
E	K	O	N	I	O	N	B	C	N
R	A	D	I	S	H	F	E	U	S
Y	L	E	T	T	U	C	E	M	Q
P	E	P	P	E	R	C	T	B	U
M	U	S	H	R	O	O	M	E	A
C	A	R	R	O	T	R	X	R	S
P	E	A	S	P	I	N	A	C	H

24쪽

26쪽

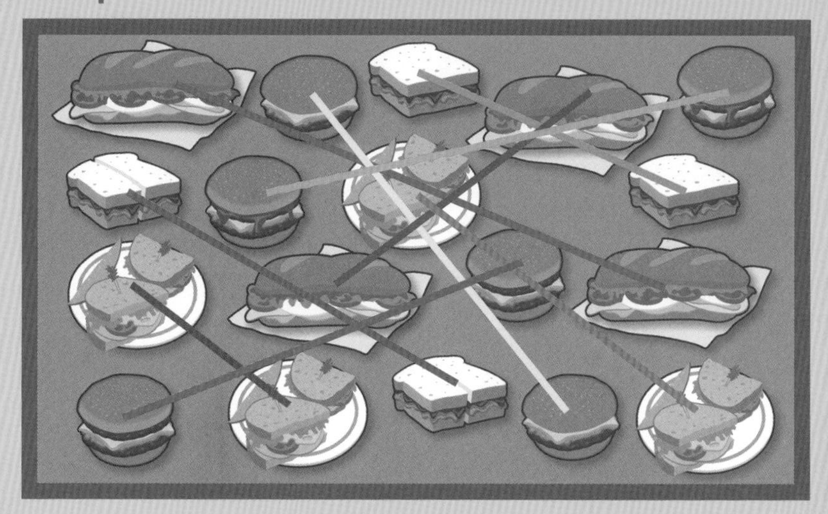

28쪽

29쪽

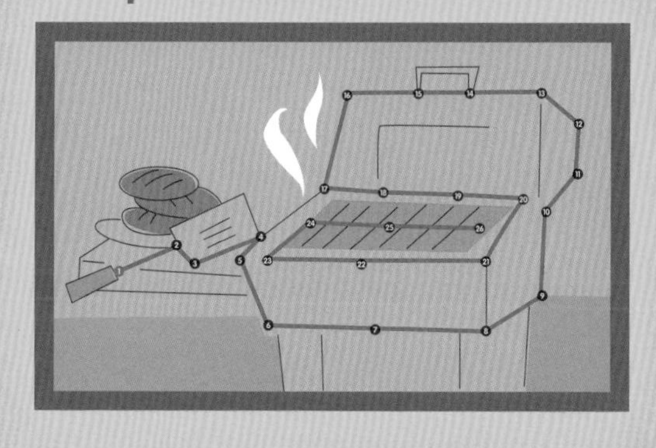

30쪽

Q. 트럼펫을 불고 있는 과일은 누구인가요?
A. APPLE (사과)

Q. 작은북을 치는 과일은 누구인가요?
A. BANANA (바나나)

Q. 레몬은 무슨 맛일까요?
A. SOURNESS (신맛)

Q. 바닥에 두 개의 바나나 껍질처럼 있는 것은 무엇일까요?
A. ONE PAIR OF SLIPPERS (한 쌍의 슬리퍼)

32쪽

34쪽

C	T	A	C	O	C	H	I	P	S
R	V	W	E	T	U	R	K	E	Y
A	P	P	L	E	J	U	I	C	E
C	B	R	E	A	D	M	I	L	K
K	A	G	R	A	P	E	S	W	P
E	N	X	Y	O	G	U	R	T	E
R	A	I	S	I	N	S	Z	V	A
S	N	C	O	O	K	I	E	E	C
W	A	T	U	N	A	F	I	S	H
S	O	U	P	C	H	E	E	S	E

그림을 보고 장면을 상상해 보세요.

토끼와 코끼리가 무슨 말을 할지 상상한 뒤
말풍선 안에써 보세요.

ILLUSTRATION BY BOB OSTROM

What do you think is happening in this cartoon?
Add some words to finish it.